L'ACADÉMIE JEDI

Jeffrey Brown

Texte français d'Isabelle Allard

Éditions SCHOLASTIC

Un grand nombre de gens ont permis à ce livre
de voir le jour. J'aimerais exprimer ma gratitude à Rex, Sam,
Rick et à toute l'équipe de Scholastic; à J.W. Rinzler, Leland,
Joanne, Carol et à tous les autres chez Lucasfilm;
à Marc Gerald, Chris Staros, Brett Warnock, Steve Mockus,
à ma famille et mes amis, ainsi qu'à tous ceux
qui m'ont soutenu en lisant mes livres. Merci!

Catalogage avant publication de Bibliothèque et Archives Canada

Brown, Jeffrey, 1975-
[Jedi Academy. Français]
L'Académie Jedi / Jeffrey Brown ; texte français d'Isabelle Allard.

ISBN 978-1-4431-3413-2 (couverture souple)

1. Romans graphiques. I. Allard, Isabelle, traducteur II. Titre.
III. Titre: Star wars, l'Académie Jedi. IV. Titre: Jedi Academy. Français

PZ23.7.B76Aca 2014   j741.5'973   C2013-907453-8

Édition publiée par les Éditions Scholastic, 604, rue King Ouest,
Toronto (Ontario) M5V 1E1

8 7 6 5 4   Imprimé au Canada 139   15 16 17 18 19

RECYCLÉ
Papier fait à partir
de matériaux recyclés
FSC® C103567

Il y a bien longtemps dans une galaxie lointaine, très lointaine...

Un garçon appelé
Roan Novachez
(c'est moi) était destiné
à fréquenter l'académie
de pilotage et à devenir
le MEILLEUR astro-pilote
de la GALAXIE. Mais
tout a TOTALEMENT
et COMPLÈTEMENT DÉRAPÉ...

Voici l'expression sur mon visage avant le début de cette histoire (ce que ma mère appelle mon air gentil).

Moi... après que tout a dérapé.

7

Davin, papa et moi

Roan

Dav à l'académie de pilotage

CONCOURS
ANNUEL DE
SIMULATION

ASTRO-
PILOTE

2e
PLACE

Oliver et maman

Roan   T-16

9

Hé! Ro,

Je te félicite d'avoir fini l'école primaire. Je parie que tu es content d'être en vacances.
Tu verras, le temps passera vite jusqu'à ton arrivée à l'académie de pilotage. En ce moment, nous apprenons à piloter un nouveau prototype de vaisseau spatial.
Ce n'est pas aussi bien que tes dessins, mais voici à quoi il ressemble :

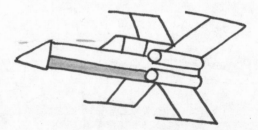

Papa et moi avons hâte de te voir aux commandes d'un vaisseau spatial!
Dav (ton frère, tu te souviens?)
P.-S. Salue maman et Ollie pour moi!

À : Roan Novachez
Objet : Demande
        d'admission

Cher Roan,
Merci d'avoir fait une demande d'admission à l'académie de pilotage. Après avoir évalué tes notes, tes résultats d'examens, tes activités parascolaires, tes lettres de recommandation et ton essai personnel, nous devons refuser ton admission à l'académie de pilotage. Bien que la plupart des candidats soient acceptés, quelques étudiants sont refusés pour diverses raisons. Nous te souhaitons un grand succès dans cette nouvelle étape stimulante de ton éducation!
                    Bonne chance,

Sénateur Blagotine

RÉSERVÉ À L'ADM.	ÉCOLE RECOMMANDÉE :
Académie d'agriculture de Tatooine	

ÉCOLE DE PILOTAGE   CONTRE   ÉCOLE DE PLANTES

ÉCOLE DE PILOTAGE	ÉCOLE DE PLANTES
- Grand-papa, papa et Davin : tous pilotes	- passer le reste de ma vie sur Tatooine
- piloter des vaisseaux spatiaux dernier cri	- consacrer plus de temps à la lessive pour laver la poussière
- cockpits climatisés	
- explorer toute la galaxie	- en avoir marre de manger des légumes
- porter un super uniforme de pilote	- pelleter de la bouse de bantha
- faire équipe avec d'autres pilotes	- travailler seul
- voir les planètes de l'espace	- regarder de petits lopins de terre durant des heures
- écouter de la musique en volant	- avoir du sable dans mes sous-vêtements
- la sensation au décollage est super géniale	- taches de sueur sur mes BD le midi

MA VIE EST FINIE!

DUODI (le pire duodi de ma vie)

Maman n'arrête pas de répéter que ce n'est pas la fin du monde, mais ça l'est certainement, totalement, absolument! Attends, je vais fermer ma porte et hurler aussi fort que je peux...

> Ça va aller!

> Ce n'est pas grave!

> Ce n'est pas la fin du monde.

> Ne t'en fais pas.

> Écris donc quelque chose dans ton journal intime.

Bon, je suis revenu. Mais je ne me sens pas mieux. Je n'ai jamais voulu devenir autre chose qu'un pilote de chasse, sauf quand j'avais quatre ans et que je voulais être un chauffeur de benne à ordures de course.
Je ne sais même pas pourquoi je ne peux pas aller à l'académie de pilotage! Maintenant, je dois le dire à papa et Davin, qui seront déçus. Quand Reg et Jax vont l'apprendre, ils penseront que j'ai un problème. C'est comme si ~~l'univers~~ l'univers entier voulait me rappeler que je ne deviendrai pas pilote.

> Roan!

> Roan vole!

NON, OLLIE.
ROAN NE
VOLE PAS.

Par exemple, le jour où j'ai reçu ma lettre de refus,
j'ai aussi reçu le nouveau numéro du magazine
de technologie spatiale Yuzzum. Je n'ai pas pu

lire les articles parce que
j'avais trop de peine... Je
n'ai même pas regardé les
images.
Je devrais annuler mon
abonnement. Et je devrais
me préparer en vue de
l'académie d'agriculture,
parce que c'est ma seule option. Pourquoi veulent-
ils que j'aille à l'école de plantes? Voilà ce qui
est arrivé aux coupleurs d'énergie des évaporateurs
d'humidité quand je les ai utilisés en cours de
sciences et technologie :

Avant
Roan

Après
Roan

De toute façon, ça n'a plus d'importance.
Je suis fichu.

FICHU →

16

À : Roan Novachez
Objet : Académie Jedi

ACADÉMIE JEDI
CAMPUS DE CORUSCANT

Cher Roan,
Ta récente demande d'admission
à l'académie de pilotage a attiré
l'attention de Maître Yoda, à
l'académie Jedi de Coruscant.
À sa demande, j'aimerais t'inviter
à fréquenter l'académie Jedi dès
la rentrée scolaire. Tu trouveras
ci-joint un dépliant contenant une
description de l'école, ton horaire,
les informations de voyage, ainsi
que vingt pages de formulaires
à remplir.

Que la Force soit avec toi,

DIRECTEUR MAR

Forte en toi, la Force est. Jedi, tu
pourras devenir. Beaucoup de potentiel,
tu as. Agréable de t'enseigner, ce sera!
Maître Yoda

PENTADI

Bon, maintenant, je sais quelle école je vais fréquenter : l'académie Jedi. Ce n'est pas si mal. Je sais que les Jedi utilisent une espèce de sabre laser, ce qui est plutôt génial, même si ma mère a marmonné quelque chose au sujet de la sécurité. Je ne sais pas quand les Jedi utilisent ces sabres, car je crois qu'ils sont diplomates ou gardiens de la paix. J'en ai parlé à Jax et Reg, et ils pensaient que je mentais. Selon eux, il est impossible que j'entre à l'académie Jedi, car on est choisi pour la formation Jedi quand on est un bébé. Je leur ai montré les papiers, et ils ont ri en disant que j'irais sûrement en classe avec des bébés. De toute façon, c'est sur une planète appelée Coruscant, qui est très loin :

o←──Tatooine   Coruscant──→o

Mais peu importe. Maman
a envoyé les formulaires
et je pars la semaine
prochaine. Au moins,
je n'irai pas à l'école
de plantes.

Roan
plante!

BIENVENUE À L'ACADÉMIE JEDI

Située sur la planète-cité Coruscant, l'académie Jedi est le plus important centre de formation des chevaliers Jedi de la galaxie. Ce complexe de pointe a tout l'équipement nécessaire pour l'entraînement Jedi le plus complet. Les jeunes étudiants les plus prometteurs y reçoivent un enseignement de haut niveau.

ACADÉMIE JEDI-F.A.Q.

QU'EST-CE QU'UN JEDI?

Un Jedi est un guerrier diplomate qui se bat pour la paix et la justice dans l'ensemble de la galaxie.

QUELS SONT LES OUTILS DU JEDI?

Le Jedi utilise un sabre laser – un sabre dont la lame est faite d'énergie pure – et la Force.

QU'EST-CE QUE LA FORCE?

La Force est un champ d'énergie invisible créé par tous les êtres vivants. La Force donne au Jedi la puissance qui lui permet d'accomplir des choses extraordinaires, comme déplacer des objets grâce à sa pensée.

LES ÉLÈVES APPRENDRONT-ILS LA TECHNIQUE DU « CONTRÔLE MENTAL » JEDI?

Ce contrôle mental est une façon d'utiliser la Force pour influencer les pensées et les décisions d'autrui. Les débutants ne recevront pas de formation en contrôle mental.

QU'EST-CE QUE LE CÔTÉ OBSCUR DE LA FORCE?

Le côté obscur est un aspect de la Force qui naît des émotions négatives comme la colère ou la haine. Les élèves de l'académie Jedi apprendront à résister au côté obscur.

QUI SERONT LES ENSEIGNANTS?

Le corps enseignant de l'académie Jedi est composé de Jedi expérimentés, dont Maître Yoda, qui cumule des centaines d'années d'expérience.

VOICI LES PROFESSEURS DE L'ACADÉMIE JEDI

DIRECTEUR MAR
Sciences, philosophie

MAÎTRE YODA
Utilisation de
la Force

MME PILTON
Maths, histoire

KITMUM
Éducation physique

M. GARFIELD
Sabre laser, Économie
domestique

**BIBLIOTHÉCAIRE
LACKBAR**
Arts et littérature

RW-22
Conseiller étudiant

T-P30
Tuteur (2e semestre)

Les élèves vivent à plein temps sur le campus de l'académie, où ils reçoivent l'enseignement de véritables chevaliers Jedi expérimentés dans diverses matières : histoire galactique, sciences, duel au sabre laser, maths, politique, art, rédaction et utilisation de la Force.

Les élèves savourent des plats originaux de tous les coins de la galaxie dans la cafétéria du Temple Jedi.

Des amitiés durables se tissent lors de voyages scolaires dans des galaxies de la République pour une éducation culturelle globale.

BONJOUR ROAN,

TA MÈRE ME DIT QUE TU ES DÉÇU DE NE PAS AVOIR ÉTÉ ACCEPTÉ À L'ACADÉMIE DE PILOTAGE, MAIS JE SUIS TOUT DE MÊME FIER DE TOI. C'EST TOUT UN HONNEUR D'ENTRER À L'ACADÉMIE JEDI! JE CROIS QUE TU Y APPRENDRAS PLUS DE CHOSES QUE TU NE LE PENSES ET QUE TU T'AMUSERAS BEAUCOUP — SURTOUT SI TU APPRENDS À UTILISER LA FORCE. TU POURRAS FAIRE UNE AUTRE DEMANDE À L'ACADÉMIE DE PILOTAGE L'AN PROCHAIN, MAIS DONNE D'ABORD UNE CHANCE À CETTE ÉCOLE.

AFFECTUEUSEMENT, PAPA

P.-S. VOICI UN ÉCUSSON COMME CELUI QUE JE PORTE SUR MON UNIFORME. SOUVIENS-TOI QUE JE CROIS EN TOI.

24

28

Réflexions sur Maître Yoda

2 sabres

cicatrice de combat

comment j'imaginais ← Yoda

50 centimètres de haut

sourit beaucoup

vert

ce à quoi il ressemble → vraiment

dur à cuire

1,75 m de haut

a l'air d'une marionnette

- Est mélangé, tout ce qu'il dit. À l'envers, il parle.

La plupart du temps, je ne comprends pas ce qu'il dit. Il a sept cents ans. Il était peut-être plus facile à comprendre il y a deux cents ans?

très très ridé

Hi hi hi!

Il a plein de poils dans les oreilles →

Hum?

Hummm

Approximativement 10 R.P.M. (rires par minute)

15 H.P.M. (hum par minute)

* Peut-être qu'il enseigne au lieu d'être un Jedi à temps plein parce qu'il devient sénile?

ÉLÈVE : ROAN NOVACHEZ	
NIVEAU : PADAWAN	SEMESTRE : UN
PROF. TITULAIRE : MAÎTRE YODA	

ACADÉMIE JEDI
CAMPUS DE CORUSCANT

HORAIRE

07:30-08:50 : SOULÈVEMENT PAR LA FORCE
Maître Yoda enseignera aux élèves à soulever des objets avec la Force, notamment des rochers, des droïdes et des boîtes.

09:00-09:50 : HISTOIRE GALACTIQUE
Mme Pilton expliquera comment la République a été formée, d'où viennent les Jedi, et bien d'autres choses.

10:00-10:50 : ALGÈBRE
Mme Pilton apprendra aux élèves comment utiliser des équations mathématiques complexes qui leur seront utiles plus tard.

11:00-11:50 : SCIENCES
Sous la supervision du directeur Mar, les élèves mèneront des expériences en appliquant la méthode scientifique.

12:00-13:00 : PAUSE DU MIDI

13:00-13:50 : ARTS ET LITTÉRATURE
La bibliothécaire Lackbar présentera aux élèves des œuvres littéraires et artistiques provenant de diverses planètes de la galaxie.

14:00-14:50 : INTRO. À LA CONSTRUCTION DE SABRES LASER
M. Garfield enseignera aux élèves comment construire leur propre sabre laser.

15:00-15:50 : ÉDUCATION PHYSIQUE
Les élèves se maintiendront en forme avec Kitmum grâce à une série d'exercices athlétiques rigoureux.

MONODI

Bon, je suis ici depuis deux jours et je sais déjà que ce n'est pas pour moi. Même le t-shirt souvenir de l'académie qu'on m'a donné est de taille extra extra petit. La plupart des élèves sont gentils, mais ils ~~étudient~~ étudient la Force depuis leur petite enfance, et je ne sais pas toujours de quoi ils parlent. J'ai toujours cru que « la Force » était juste une expression, genre « que la force soit avec toi », « bonne chance » ou « à plus tard ». Mais apparemment, la Force est une <u>véritable</u> force. Comme la gravité. Sauf qu'on peut s'en servir. Du moins, les Jedi le peuvent. Je ne sais pas si j'en serai capable un jour... Il paraît qu'on passe une partie de chaque matinée à « ressentir la Force ». Je suppose qu'on s'assoit en regardant le plancher ou un truc comme ça...

Peux pas... respirer

Je ne sens rien... Oh! Était-ce la Force?

Non.

Je vais avoir une formation de sabre laser.
Ce sera probablement la seule activité
amusante de cette école.

Mon enseignant s'appelle M. Garfield. Je l'ai
rencontré à la journée d'orientation. Je pense

qu'il ne m'aime pas, car
il ne m'a pas parlé. Mais
il était plus bavard que
Kitmum, la prof de gym.
Du moins, le peu que j'ai
compris, étant donné
que c'est une Wookiee.

Je ne me souviens pas du nom des autres profs.
Trop d'informations en même temps! Pour
l'instant, je vais aller dans ma chambre.
Elle a une fenêtre, mais
la vue n'est pas géniale.

34

MONODI

18/20 A

NOM DE L'ÉLÈVE : Roan

DATE DE REMISE : quatrodi prochain

1ʳᵉ QUESTION : Où un Jedi puise-t-il sa puissance et à quoi lui sert-elle?

la Force ✓

connaissance et défense ✓

2ᵉ QUESTION : Nomme trois choses dont doit se méfier un Jedi pour éviter le côté obscur?

1. colère ✓ 2. ~~impatience~~ peur ✓

3. ~~haine~~ bon - agression

3ᵉ QUESTION : Comment un Jedi accomplit-il son ou ses objectifs?

A. Essaie B. N'essaie pas (C. Fait)
D. Ne fait pas E. Aucune de ces réponses ✓

4ᵉ QUESTION : Quels sont les cinq principaux préceptes du Code Jedi?

1. connaissance, pas ignorance ✓

2. harmonie, pas chaos

3. paix, pas émotion

4. sérénité, pas passion (5) -1

Ce qu'a dit Yoda cette semaine

TRIODI

J'ai cru que j'avais enfin senti la Force la semaine
dernière. J'ai commencé à me sentir bizarre et
étourdi. D'après ce qu'on m'a raconté, je me suis
mis à bafouiller, puis je me suis
évanoui. Je me suis réveillé une
heure plus tard dans une cuve à
bacta (génial, sauf que j'étais en
sous-vêtements). Le droïde médical
m'a dit que je ne mangeais pas

assez et que je manquais de sommeil. Je ne sentais
donc pas la Force, j'étais juste affamé et fatigué, ce
qui n'est pas ma faute. Je ne
suis pas encore habitué à la
cafétéria, où la nourriture
est ÉTRANGE. Des tentacules
rôtis? Beurk. J'ai essayé
d'autres plats. Ce n'est pas

Voilà
mon
repas ↳

hop!

si mal quand on a très faim. J'ai du mal à dormir
car il se passe trop de choses. J'ai l'impression d'être
perdu la moitié du temps. En fait, je <u>SUIS</u> perdu la
moitié du temps! Essayer de se repérer dans le Temple
Jedi est comme s'orienter dans le spatioport de Mos
Eisley quand on ne sait pas ce qu'est un spatioport!
Lorsque je me perds, je cherche quelqu'un que je
reconnais et je le suis...

Cyrus et Cronah sont dans les mêmes cours que moi, alors j'ai essayé de les suivre, mais ils m'ont regardé d'un air soupçonneux. Tous les élèves en savent plus que moi. Ils ont suivi une formation Jedi toute leur vie. Je suis le seul qui vient de Tatooine, une autre raison pour laquelle je devrais être à l'académie de pilotage. Mais les cours sont plutôt faciles, sauf quand il s'agit de sentir la Force. J'ai reçu plein de conseils :

Pourquoi le nouveau nous suit-il?

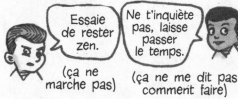

Essaie de rester zen.

(ça ne marche pas)

Ne t'inquiète pas, laisse passer le temps.

(ça ne me dit pas comment faire)

Egon m'a juste regardé fixement.

(au moins, c'était un regard compatissant)

Donc, la fin de semaine dernière, des élèves m'ont proposé d'aller voir un holofilm avec eux. J'ai dit que je ne me sentais pas bien (ils m'ont cru à cause de mon évanouissement), mais en fait, j'étais soulagé d'être seul et de dessiner des BD. J'étais dans ma chambre, assis devant mon journal, à penser à rien de précis, quand c'est arrivé :

J'avais l'impression que tout était différent, mais pareil... Je crois que j'ai TOUJOURS senti la Force sans vraiment me rendre compte que c'était ça!

Ro,

Désolé de ne pas t'avoir écrit plus tôt, mais j'étais en exercice d'entraînement dans le système Hoth. Tu devrais être content de ne pas étudier ici, car on a passé deux semaines à geler sur une planète de glace!

J'ai parlé à mes amis de ton admission à l'académie Jedi, et ils étaient très impressionnés. Je ne veux pas ajouter de pression, mais c'est tout un honneur! Tu vas faire des trucs super, là-bas. Mais il ne faut pas que ça te monte à la tête, je serai tout de même pilote avant que tu sois un Jedi!

Papa et moi avons hâte de te voir aux commandes d'un vaisseau spatial!

Dav

P.-S. Les copains m'ont dit de te dire que le « contrôle mental Jedi » ne marche pas avec les grands frères!

N'oubliez pas
de sentir
la Force!

Soulèvement par la Force

1. Ne penser à rien (sauf à l'objet qu'on veut soulever?)
2. Utiliser la Force pour soulever l'objet*

CONSEILS

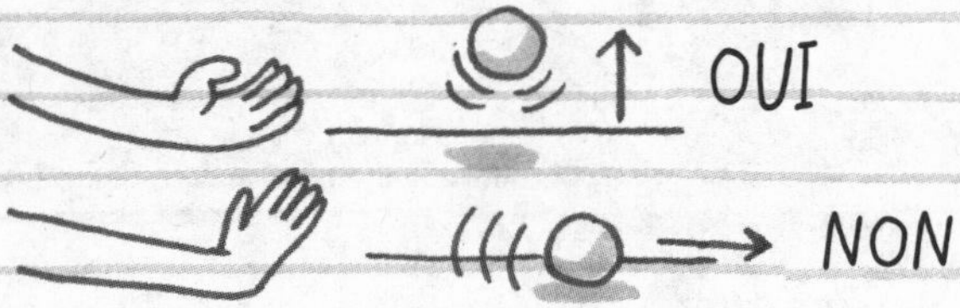

↑ OUI

→ NON

*la taille n'a pas d'importance

Les Jedi n'utilisent pas la Force pour leur simple commodité, mais les Padawans devraient ~~essayer de~~ (non, Yoda dit de ne pas essayer) s'entraîner à l'utiliser pour allumer la télé, faire le repas ou ranger leur chambre.

DEVOIR : être capable de soulever un livre du sol à la table, uniquement à l'aide de la Force, d'ici la semaine prochaine

Ce qu'a dit Yoda cette semaine

DE : Maître_yoda_642
À : Groupe Padawan
OBJET : Importante sortie scolaire

CHOIX
◁ RÉPONDRE
▷ TRANSFÉRER
▢ IMPRIMER
◯ AFFICHER SUR HOLOBOOK

QUAND : SEMAINE SEPT
OÙ : PLANÈTE KASHYYYK

OBJECTIF : Étudier la culture et la technologie wookiees, ainsi que divers écosystèmes de Kashyyyk, afin d'élargir les horizons des élèves.

ACTIVITÉS : Les élèves observeront une rencontre officielle du Conseil Wookiee, visiteront des colonies wookiees et camperont dans une forêt d'arbres wroshyrs pour étudier la flore locale.

REMARQUES : Même si les élèves seront accompagnés de plusieurs chaperons Jedi, ils traverseront des régions peuplées de katarns et de tisseurs de toile, qui attaquent les créatures de petite taille.

CHAPERONS : Maître Yoda, Kitmum et RW-022
À apporter : cahier et crayon, holocaméra, bottes de marche, manuel de traduction wookiee, chaussettes, collations, bouteille d'eau, esprit d'aventure

DUODI

On est revenus de Kashyyyk et je voulais mettre des photos du voyage dans ce journal, mais je ne trouve plus mon holocaméra. J'ai cherché dans tous mes sacs. Donc, quelque part sur Kashyyyk se trouve une holocaméra remplie de photos de moi devant des trucs. Je vais juste dessiner ce que j'ai vu. Voici la colonie wookiee qui était notre point de départ. La première activité consistait à observer le Conseil Wookiee en action.

Je pensais que ce serait amusant, car les Wookiees sont d'énormes monstres poilus, mais c'était BARBANT. Ils

GRAORR!

Grrr!

sont plutôt civilisés, même s'ils agitent les bras et grognent sans arrêt. Kitmum traduisait pour nous, ce qui veut dire qu'elle grognait, elle aussi. Au moins, elle nous a guidés lors de la visite. Au moment de partir, on a dû réveiller Cronah parce qu'il s'était endormi (et avait bavé sur son chandail). Ronald a pris plein de notes. Je crois qu'il veut se présenter comme président du conseil étudiant. Ça valait peut-être la peine de regarder le Conseil Wookiee.

Grrr!

Je dois avouer que Kashyyyk est une planète
incroyable. Ma partie préférée était le camping.
Les arbres étaient immenses! On a passé la matinée
à tout charger sur notre bantha. Oui, ils ont des
banthas sur Kashyyyk,
comme sur Tatooine!
Ils ont aussi toutes
sortes de créatures
étranges, dont Yoda nous a dit
de nous méfier. Difficile de savoir s'il était sérieux,
car il riait chaque fois
qu'il en parlait...

Attention aux
prédateurs, vous
devez faire!
Hi hi hi!

Yoda

katarn

tisseur de
toile

48

On a marché jusqu'au campement, puis on a exploré les alentours. Ça a mal commencé, parce que Gaiana s'est fâchée contre moi pour un truc qui était un accident. Elle ne m'a pratiquement plus parlé du voyage.

Après, comme j'étais mal à l'aise, j'ai exploré tout seul. On était censés se retrouver au campement à 16:00, mais à notre retour, Pasha avait disparu! RW-22 ne pouvait pas nous aider à chercher, car il ne roule pas très bien dans la forêt. Yoda nous a divisés en équipes de recherche.

ANNONCES

INSCRIVEZ-VOUS
au Club Holochecs!

Réunion salle 304

ATTENTION!
date limite pour
se présenter au
conseil étudiant :
hexadi prochain

RECHERCHONS :
journalistes,
illustrateurs,
photographes

Travaillez pour
le meilleur journal
du Temple Jedi

*Recevez 3 crédits
supplémentaires

La Gazette du Padawan

Début de l'entraînement
de l'équipe de
sabre laser après
le cours de gym.
SOYEZ À L'HEURE!

(supervisé par M. Garfield)

Recyclez vos
holocontenants!

PROFESSEUR
INVITÉ À LA
CONFÉRENCE :
Albert le Hutt
La physique
de la Force
quatrodi
à 12:00

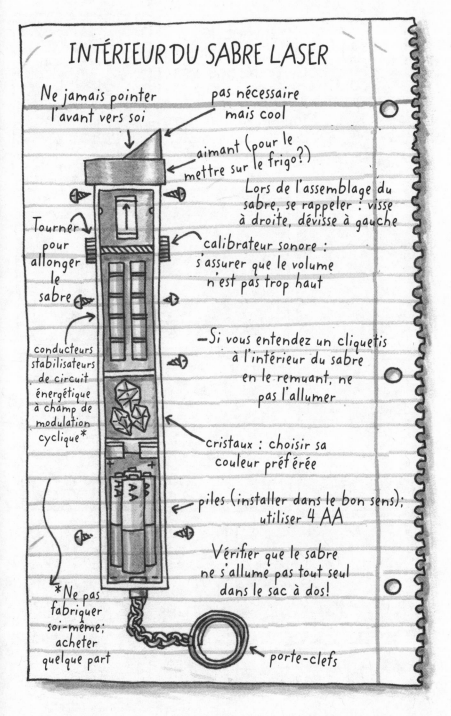

Salut, frérot!

Tu te souviens des BD de Pilote Ewok que tu dessinais? On a eu un exercice près d'Endor, et j'ai pris ces photos de véritables Ewoks. Tu peux peut-être les utiliser pour faire des BD pour le journal de l'école? Je n'ai pas appris grand-chose de nouveau sur les Ewoks. Ils sont petits et poilus, disent des trucs comme « Yub yub » et « Ee Choya » et se servent de lances et de massues pour chasser. Et ils vivent dans les arbres. On dirait que tu t'habitues à ta nouvelle école et que tu te fais des nouveaux amis. C'est super,

Bienvenue à tous! Merci d'être venus. Nous avons beaucoup de travail à faire pour publier le prochain numéro du journal à temps.

Shi-Fara, tu couvres le tournoi de sabre laser.

Silva, tu t'occupes de l'expo-sciences.

Gaiana, tu rédiges le courrier du cœur.

Jo-Ahn, tu fais l'holoscope.

Greer, tu prends les photos.

Carter, tu fais la mise en page.

Euh... Roan, tu es nouveau. Que sais-tu faire?

Heu... Je pourrais dessiner des BD?

Ha ha! Ces BD sont très drôles! En as-tu avec des chiens qui parlent?

J'ai celle-ci, intitulée « Pilote Ewok... »

Yub Yub

Super!

Peut-être que le pilote pourrait rencontrer des chiens qui parlent!

TRIODI

C'est plutôt une bonne semaine jusqu'ici. J'ai commencé
la BD « Pilote Ewok » pour le journal de l'école et j'ai
eu un A pour mon travail sur les effets économiques
de la supernova de Cron sur les routes commerciales
galactiques. Cette semaine, on a commencé nos projets
d'expo-sciences. On dirait que tout le monde fait quelque
chose lié à la Force... Bill fait une étude environnementale
sur l'utilisation de la Force par les Jedi près des rivières.
Gaiana utilise la Force pour faire du sirop pour la toux qui
a bon goût. Je ne peux même pas me servir de la Force !
Du moins, pas de façon constante. Cronah dit que soulever
~~accidantèlement~~ accidentellement des crayons ne compte
pas. Je voulais faire un projet sur les chasseurs spatiaux,
mais Cronah et Cyrus le font déjà et m'ont accusé de
copier. Ce serait plus facile de trouver une idée si j'étais à
la maison. Ici, il se passe trop de choses et j'ai du mal à
me concentrer. Je suppose qu'il y a des avantages à être
dans un endroit ennuyant...

Comme je ne savais pas quel projet faire, Pasha m'a aidé à trouver une idée. J'ai décidé de faire un volcan au bicarbonate de soude. Je sais que ça paraît simple, mais j'ai fait des recherches sur la planète volcanique Mustafar et j'ai inclus des détails réels de roche volcanique et de minéraux liquéfiés, avec des informations au sujet de l'influence de l'écorce planétaire sur l'activité magmatique. Pasha et moi nous sommes aidés mutuellement. Il avait besoin de quelqu'un pour noter les données quand il faisait des tests pour son prototype de sabre laser à cristaux améliorés

Conseil de Yoda pour la méthode scientifique :

PARFOIS, vider son esprit de toute question, un Jedi doit.

(j'ai juste noté des chiffres). Après, il m'a aidé à peindre mon modèle de volcan. Nos projets sont très réussis. Je vais sûrement avoir un A!

La Gazette du Padawan

PUBLIÉE PAR LES ÉLÈVES DE L'ACADÉMIE JEDI   VOL MXII N° 7

FINALE VOLCANIQUE DE L'EXPO-SCIENCES À L'ACADÉMIE DE CORUSCANT

Cette année, l'expo-sciences a pris fin de façon explosive avec l'expérience loupée du Padawan Roan Novachez, une réplique de volcan de Mustafar au bicarbonate de soude. Maître Yoda ne croit pas que cet accident ait été causé par une mauvaise application de la Force. Peu importe la cause, le volcan de Roan a explosé, aspergeant les élèves et les enseignants d'une pluie d'ingrédients

culinaires. Shi-Fara a remporté la première place grâce à son droïde, qui a réussi à nettoyer les dégâts en quinze minutes sans rien briser d'autre. La deuxième place revient à Egon Reich pour sa machine à mouvement perpétuel alimentée par la Force, bien que son invention ait cessé de fonctionner peu après la fin de la compétition.

(suite page 2)

CONTENU

HEXADI

Comme je ne peux soulever que de petits objets avec
la Force, Bill a offert de m'aider la fin de semaine
dernière. Il est arrivé dans ma chambre avec RW-22.
Il s'est assis, s'est concentré un instant, puis RW-22
s'est mis à flotter dans les airs. Bill dit que ça l'aide
d'imaginer que RW-22 a des
pieds propulseurs. Ça paraît
ridicule, mais vu mon absence
de progrès, je me suis dit que
ça valait la peine d'essayer.

J'ai tendu la main en me concentrant pour sentir
la Force, tout en imaginant de petites fusées sous les
 pattes de RW-22. Mais il n'a pas
bougé. Il a juste émis des bips et des
sifflements en faisant
pivoter sa tête. Même

Bill ne savait pas ce qu'il disait, mais
ce n'était sûrement pas positif. On l'a calmé et on a
recommencé. Cette fois, RW-22 a bougé — mais
pas dans les airs. Il a juste roulé dans le couloir. Il s'est
arrêté pour me lancer un dernier bip irrité. Je ne sais
pas ce que j'ai fait de mal, mais
RW-22 allait bien quand je
l'ai revu par la suite. Il a peut-
être effacé cet incident de sa
banque-mémoire...

Arts et littérature — Bibliothécaire Lackbar

Œuvres importantes de l'histoire de l'art galactique

*à étudier pour l'examen

La Mona Jedi

- la femme dans ce tableau a un sourire mystérieux qui rappelle le mystère de la Force

Le penseur Jedi

- cette sculpture exprime la concentration nécessaire pour utiliser la Force

La persistance l'hyperespace

Tatooine gothique

- portrait de simple fermiers contrasta avec la royauté Naboo

HÉ ROAN!
JE ME PRÉSENTE COMME PRÉSIDENT DU CONSEIL DES ÉLÈVES. PEUX-TU FAIRE DES AFFICHES POUR MOI?

- BILL

HÉ ROAN!
MERCI D'AVOIR FAIT CES AFFICHES, ELLES SONT SUPER! J'APPRÉCIE TON APPUI!!

— BILL

Idées d'affiches

pourquoi est-ce si important pour eux? Je dois trouver d'autres idées...

Un _bon_ gars pour un _bon_ conseil

Évitez l'instaBILLité.
Réélisez RONALD

- « Mieux vaut une calvitie que Ronnie »

- « MoBILLisez-vous! Reniez Ronald! »

- « Un président haBILL »

ROAN,
Comme tu as fait des affiches pour Bill, peux-tu en faire pour moi aussi? Dessine-moi debout sur Bill.

— RONALD

Charme.
Ambition.
Expérience.
RONALD.

VOTEZ POUR BILL

UNE VOIX VOLUBILL QUI EST À L'ÉCOUTE

« Ne vous faites pas de BILL. Votez pour Ronald. »

HEPTADI

Je suis content que les élections étudiantes soient finies. Ça m'a demandé beaucoup de travail et a entraîné une dispute avec mon ami. C'était amusant de faire des affiches pour Bill et de trouver des slogans. Quand Ronald m'a demandé de lui en faire aussi, je voulais refuser, mais il a insisté en me complimentant sur mes affiches. Finalement, j'ai accepté. Puis Pasha a désigné le couloir en me demandant quand j'allais arrêter. Je ne m'étais pas rendu compte qu'il y en avait autant!

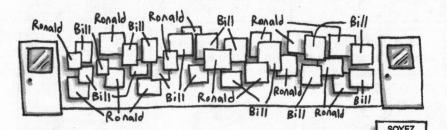

J'étais plutôt fier et tout le monde semblait aimer mes affiches. Mais Bill s'est mis à agir bizarrement, comme s'il ne voulait plus me parler. Il devait se sentir trahi parce que j'avais fait des affiches pour Ronald. Je m'en voulais d'avoir accepté. Surtout que la moitié du temps, Ronald me disait quoi faire et m'empêchait d'être créatif. Cyrus et Cronah étaient moins méchants que d'habitude et m'ont dit : « Tu votes pour Ronald, hein? » J'ai hoché la tête sans rien dire, parce qu'évidemment, je voulais voter pour Bill. Plus tard, Pasha, Egon et moi, on s'est retrouvés pour faire un devoir de maths. Les maths sont parfois difficiles, mais j'essaie de me dire qu'au fond, c'est juste du calcul. Sauf que le calcul devient super compliqué. Comme pour $x^2 - 12x + 27 = 0$. Tu ne peux pas compter sur tes doigts! Bill est bon en maths, mais quand je lui ai proposé de venir avec nous, il a dit qu'il devait finir son devoir d'histoire. C'était peut-être vrai, mais j'ai l'impression qu'il est fâché contre moi.

QUATRODI

Je ne sais pas pourquoi ça a pris si longtemps pour compter les votes, mais on a su aujourd'hui que Bill n'a pas été élu. Même si j'ai voté pour lui, il est ~~furieut~~ furieux contre moi.

Je n'aurais pas dû faire toutes ces affiches pour Ronald!

Comment parler à RW-22

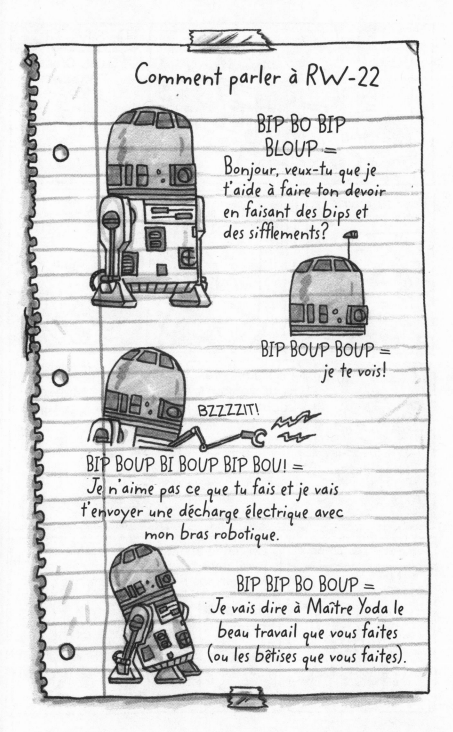

BIP BO BIP BLOUP =
Bonjour, veux-tu que je t'aide à faire ton devoir en faisant des bips et des sifflements?

BIP BOUP BOUP =
je te vois!

BZZZZIT!

BIP BOUP BI BOUP BIP BOU! =
Je n'aime pas ce que tu fais et je vais t'envoyer une décharge électrique avec mon bras robotique.

BIP BIP BO BOUP =
Je vais dire à Maître Yoda le beau travail que vous faites (ou les bêtises que vous faites).

SUPER LASER

SOIRÉE DE DANSE

✱ N'apportez pas vos sabres laser, c'est dangereux! Nous fournissons les bâtons lumineux.

HEPTADI PROCHAIN à 19:00
ENTRÉE GRATUITE

Organisé par le conseil étudiant
Président : Ronald Rinzler

Salut, Ro!

Merci de m'avoir envoyé la Gazette du Padawan. C'est super que tu aies ta propre BD. Il n'y a même pas de BD dans le journal de l'académie de pilotage. J'espère que tu as envoyé des exemplaires à papa et maman!
En parlant des parents, NE LEUR DIS RIEN, mais j'ai commencé à sortir avec une fille de l'école. Elle est mécanicienne spatiale et s'appelle Enowyn. Tiens, voici son portrait :
Bon, le dessin, c'est ton domaine... Je vois que tu t'es fait de bons amis, mais iras-tu à la danse avec une fille? Ne t'inquiète pas si c'est non, je suis juste curieux!
Bonne chance pour tes examens!

Dav

P.-S. Quand on sera chez nous à la relâche, tu pourras peut-être me montrer comment tu utilises la Force - en nettoyant ma chambre?

PENTADI

Cette semaine, j'ai passé beaucoup de temps à préparer la danse. C'est Mary qui l'organise, et Gaiana, Carter et moi lui donnons un coup de main. On a passé quelques après-midis à faire des affiches. Je fais beaucoup d'affiches ici, alors si je ne peux pas entrer à l'académie de pilotage, je pourrais peut-être gagner ma vie

comme ça. Car je ne suis pas certain d'être fait pour être un Jedi. Tout le monde semble doué, ici. Pasha sait faire plein de trucs avec la Force. Cyrus est super athlétique — la semaine dernière, il a sauté par-dessus quatre d'entre nous. C'est vrai qu'on est les quatre plus petits du groupe. Egon est calme et concentré.

Tegan a beaucoup de contrôle et d'autorité.
Gaiana a un grand cœur. Je suis bon en
dessin, mais je ne sais pas si c'est utile pour
un Jedi. Au moins, les autres élèves sont
plutôt sympas. Après avoir fini les affiches,
Carter a proposé qu'on soupe ensemble, mais
la cafétéria était fermée. On est allés manger
de la pizza. C'était bien, mais pas autant que
la pizza cuite aux deux soleils de maman. C'est
la MEILLEURE! Je me suis couché tard et j'ai
eu du mal à me réveiller le lendemain matin.
J'avais dû
éteindre
mon alarme
au lieu
d'appuyer
sur le bouton
de veille. Je suis donc arrivé
en classe à la dernière minute.

Ee Choya! Danvay!

C'est ton réveil, Pilote Ewok!

MONODI

J'ai du mal à dormir ces jours-ci. Je ne sais pas pourquoi. Au début, je pensais avoir bu trop de boisson gazeuse à la danse, mais ça n'explique pas les nuits suivantes. Je me sens ~~nerveux~~ nerveux.

Je ne suis toujours pas doué pour utiliser la Force, mais j'essaie de m'entraîner. Je peux soulever des livres maintenant... en fait, UN livre. Un livre à la fois. De format poche. Aucun livre relié. Yoda me répète que je dois cesser d'essayer, mais je ne comprends pas et

> N'essaie pas, Roan. Fais-le ou ne le fais pas.

ce n'est pas logique. Aujourd'hui, Cyrus s'est moqué de moi durant le cours.

> Tu ne peux pas soulever ce livre.

> Je vais lui montrer!

> Ha!

> Oooh, incroyable!

> Quel chevalier Jedi!

Hé! Roan
Aimes-tu Gaiana?

oui ☐ non ☐

Veux-tu dire l'aimer « comme
une amie » ou l'aimer « tout court »?

Pourquoi, tu l'aimes
tout court? Je n'ai pas dit ça.

Pourquoi tu ne l'aimes pas?
Elle est gentille!
J'arrête de te parler.

Est-ce que ça veut dire
que tu l'aimes?

90

DUODI

J'ai réussi à terminer ma recherche sur la sculpture antique mandalorienne avant la date prévue et la bibliothécaire Lackbar m'a donné un A.

J'ai déjà passé l'examen de mi-session pour le cours de Mme Pilton.

Elle sourit beaucoup; je ne sais pas si on réussit bien parce qu'elle est positive, ou si elle est juste contente qu'on soit un bon groupe. Il ne me reste plus qu'un examen : Soulèvement par la Force. J'ai appris que si Yoda rit, c'est une bonne chose. J'espère qu'il sera de bonne humeur et rira beaucoup.

> Merrrrrrrveilleux!

Pilote Ewok, tu voles trop bas!

BOUM!

Kvark...

Acha Allayoo!

Pilote Ewok, un écrasement n'est pas une occasion de célébrer!

ÉLÈVE : ROAN NOVACHEZ	
NIVEAU : PADAWAN	SEMESTRE : UN
PROF. TITULAIRE : MAÎTRE YODA	

BULLETIN

ACADÉMIE JEDI
CAMPUS DE CORUSCANT

COURS	REMARQUES	NOTE
SOULÈVEMENT PAR LA FORCE [MAÎTRE YODA]	En retard comparé au groupe, Roan est. Arrêter d'essayer, il doit. Faire, juste faire.	D+
HISTOIRE GALACTIQUE [MME PILTON]	Excellent. Utilisation notable des illustrations dans ses travaux.	a
ALGÈBRE [MME PILTON]	Bonne compréhension des multiplications.	B+
SCIENCES [DIRECTEUR MAR]	TRAVAIL SATISFAISANT, SAUF POUR LE PROJET D'EXPO-SCIENCES.	B
ARTS ET LITTÉRATURE [BIBLIOTHÉCAIRE LACKBAR]	Niveau de lecture adéquat et excellent sens esthétique.	A
INTRO. À LA CONSTRUCTION DE SABRES LASER [M. GARFIELD]	BIEN, MAIS POURRAIT FAIRE PREUVE DE PLUS DE CRÉATIVITÉ.	A-
ÉDUCATION PHYSIQUE [KITMUM]		☹

QUATRODI

C'est bizarre d'être à la maison. J'ai du mal à croire que j'ai déjà passé la moitié de l'année à l'académie Jedi. Pourtant, je ne me sens pas plus Jedi qu'avant. Et je suis très loin de devenir pilote! J'ai reçu les derniers numéros de Chasseur spatial et je ne reconnais aucun des vaisseaux. Je suis allé à la bibliothèque du Temple Jedi à quelques reprises pour lire au sujet des nouveaux vaisseaux, mais chaque fois, j'ai été coincé par la bibliothécaire Lackbar qui voulait bavarder, et j'ai dû l'écouter pendant une heure sans rien lire.

> Veux-tu te renseigner sur les frégates médicales?

> Ou sur les forceurs de blocus?

Il y a autre chose de bizarre. C'est Dav. Plus précisément, sa moustache. Je trouve ça drôle. Maman dit qu'il est beau. Ollie est différent, lui aussi. Il parle beaucoup plus. Même si je ne peux pas soulever grand-chose avec la Force, Ollie est très impressionné!

> Quoi?

> Regarde, Ro!

> J'utilise la Force moi aussi!

Ce doit être agréable d'avoir l'âge d'Ollie. Pas besoin d'aller à l'école, tout le monde s'occupe de toi et te nourrit. Tout ce que tu fais, c'est jouer et lire des BD! Mais Ollie ne peut pas se coucher tard comme Dav et moi. On passe nos soirées ensemble à discuter (sauf le soir où il devait appeler sa COPINE).

Papa est là, lui aussi. Il me pose plein de questions sur l'académie Jedi. Mais quand il parle de pilotage avec Dav, je me sens exclu. Je ne peux même pas parler à Reg et Jax. Je les connais depuis toujours, mais on dirait qu'on n'a plus rien en commun. Est-ce bizarre que j'aie hâte de retourner à l'école?

Le moment le plus excitant des vacances : papa qui essaie de faire fonctionner l'holocaméra pour une photo de famille

98

...on travaille sur de nouveaux droïdes qui vont arroser les récoltes sans se plaindre...

Salut les gars!

Salut, Reg! Salut, Jax!

Roan, c'est comment, l'académie JEDI?

C'est bien. Les autres élèves sont sympas.

Ils ne sont pas étranges?

Heu, non.

Faites-vous des trucs bizarres?

Dites donc, avez-vous vu le nouveau J-47?

C'est quoi?

Le nouveau chasseur qu'on va essayer après la relâche.

À plus tard les gars!

Salut!

J'ai construit mon propre sabre laser.

Qu'est-ce que c'est?

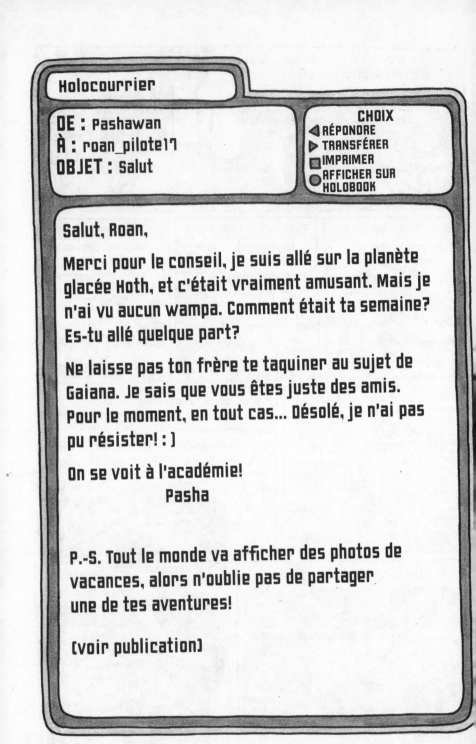

Holocourrier

DE : Pashawan
À : roan_pilote17
OBJET : Salut

CHOIX
◁ RÉPONDRE
▷ TRANSFÉRER
▢ IMPRIMER
● AFFICHER SUR HOLOBOOK

Salut, Roan,

Merci pour le conseil, je suis allé sur la planète glacée Hoth, et c'était vraiment amusant. Mais je n'ai vu aucun wampa. Comment était ta semaine? Es-tu allé quelque part?

Ne laisse pas ton frère te taquiner au sujet de Gaiana. Je sais que vous êtes juste des amis. Pour le moment, en tout cas... Désolé, je n'ai pas pu résister! :)

On se voit à l'académie!
                    Pasha

P.-S. Tout le monde va afficher des photos de vacances, alors n'oublie pas de partager une de tes aventures!

(voir publication)

ÉLÈVE : ROAN NOVACHEZ

NIVEAU : PADAWAN | **SEMESTRE : DEUX**

PROF. TITULAIRE : MAÎTRE YODA

HORAIRE

ACADÉMIE JEDI
CAMPUS DE CORUSCANT

07:30-08:50 : UTILISATION DE LA FORCE 101
Maître Yoda continuera d'enseigner l'utilisation de la Force pour amener les élèves à soulever des objets de plus en plus gros.

09:00-09:50 : PRINCIPES DE LA FORCE
Maître Yoda expliquera divers aspects de la Force et sa philosophie.

10:00-10:50 : MATHÉMATIQUES DE LA PHYSIQUE
Mme Pilton enseignera aux élèves les équations mathématiques gouvernant les lois de la physique, et la façon de les contourner.

11:00-11:50 : BIOLOGIE DES ESPÈCES NON HUMAINES
Le directeur Mar fera découvrir aux élèves les formes de vie connues de la galaxie. Comprend des sorties au zoo et au musée d'histoire naturelle.

12:00-13:00 : PAUSE DU MIDI

13:00-13:50 : POÉSIE MANDALORIENNE
Les élèves étudieront la poésie de cette ancienne culture et rédigeront leurs propres poèmes sous la direction de la bibliothécaire Lackbar.

14:00-14:50 : ÉDUCATION PHYSIQUE
Kitmum proposera des exercices d'entraînement Jedi traditionnels aux élèves.

15:00-15:50 : DUEL AU SABRE LASER
M. Garfield enseignera aux élèves les techniques de base du duel au sabre laser.

QUATRODI

Ma première pensée en revenant à l'académie
Jedi après la relâche a été : « Enfin chez moi! »
C'est bizarre parce que je revenais justement
de chez moi. Par contre, j'ai vu un escadron de
chasseurs en route vers Coruscant, et j'ai eu un
moment de ~~déecpsion~~ déception. Mais quand on
a atterri, j'étais content de voir mes amis. Pasha
m'a demandé si j'essayais
de croiser Gaiana en me
promenant sans cesse près
de son dortoir. Mais c'est
juste qu'après avoir passé une
semaine sur Tatooine, j'avais
besoin de me rafraîchir.

Courant d'air frais

dortoir de Gaiana

plus d'ombre

De plus, comment saurais-je si Gaiana est là ou

non? Puis je me suis dit que
Pasha a peut-être raison. Je
suppose que j'aime Gaiana.
Un peu. Je ne peux pas le lui
dire, car je suis sûr qu'elle
m'aime juste en ami. Pasha
et Egon s'entraînent pour
le tournoi de sabre laser.

J'ai assisté à quelques
séances d'entraînement
et j'ai l'impression
que personne ne sait
comment s'y prendre. Ils
se contentent de sauter

en agitant leur sabre laser. Ils disent qu'ils ont déjà
fait des combats, alors peut-être que je me trompe.
Pasha a accepté de me donner quelques conseils.
Mon sentiment de réconfort à l'idée d'être
revenu à l'école a duré jusqu'à mon premier cours
d'Utilisation de la Force 101. À cause des vacances,
on n'est pas encore habitués à se réveiller tôt.
J'espère que Yoda ne pense

OUÂÂÂHH!

très
fatigué

pas que son cours nous
ennuie! Yoda m'a parlé.
Il est très encourageant et semble avoir confiance

en mes capacités. Il a

Le faire,
tu peux!

sept cents ans de plus
que moi, alors il sait
probablement de quoi

il parle. Mais si j'obtiens un autre D, vont-ils me
renvoyer sur Tatooine? Et s'ils s'aperçoivent que je
n'ai pas ce qu'il faut pour être un Jedi?

OBTIENS UN CRÉDIT DE PLUS!

Fais partie du

GROUPE DE MUSIQUE DE L'ACADÉMIE

Le professeur invité Kroeber Loger apprendra aux participants à jouer des instruments spécialisés pour accompagner la chorale.

RECHERCHÉ : LIVREUR DE JOURNAUX

pour la Gazette du Padawan. Fais circuler les nouvelles parmi les élèves de l'académie Jedi! Voir Tegan pour infos.

ÉQUIPE DE DÉBATS

Devrais-tu participer ou non? Viens à la réunion triodi soir pour discuter des raisons de t'inscrire ou pas.

VENEZ VOIR LE NOUVEAU DROÏDE PROTOCOLAIRE, T-P30

MONODI à 12:00

commandité par le club de robotique

N'OUBLIEZ PAS DE RECYCLER VOS CONVERTISSEURS D'ÉNERGIE!

Un message du comité environnemental

... donc, le club de robotique vous présente le nouveau droïde protocolaire, T-P30.

clap clap clap clap clap clap clap clap clap clap clap clap

Merci, maître Bill.

C'est un plaisir de vous rencontrer.

Je vais d'abord vous parler un peu de moi...

...alors, dix ans après avoir été fabriqué, je suis allé sur Ossus, où bla bla bla, puis j'ai analysé les dialectes de bla bla bla et j'ai passé dix ans à apprendre deux millions de langues, dont le jawa, le géonosien, le togruta, les appels d'accouplement bantha, bla bla bla *bla* bla bla *bla* bla bla bla bla bla bla bla

ZZZZZZZZZZZZZZZ

Oh non!

RON PCHIII

107

TOURNOI DE SABRE LASER

ÉPREUVES DE SÉLECTION LA SEMAINE PROCHAINE!

CINQ PLACES SONT DISPONIBLES DANS CHAQUE ÉQUIPE. L'ÉQUIPE A SERA ENTRAÎNÉE PAR MAÎTRE YODA ET L'ÉQUIPE B PAR M. GARFIELD. L'ÉQUIPE C ENCOURAGERA LES DUELLISTES. DEPUIS LES GRADINS. ÇA VA FAIRE DES ÉTINCELLES!

N'OUBLIEZ PAS D'APPORTER VOS SABRES LASER!

HEXADI À 16:00 AU GYMNASE

HEXADI

Pasha, Egon et moi nous sommes entraînés pour le tournoi de sabre laser. Aux épreuves de sélection, on n'affronte personne. On ne fait que sauter et montrer qu'on peut brandir le sabre laser de la bonne façon. Comme je ne peux pas devenir pilote, c'est l'activité la plus amusante que je puisse faire. Je peux maintenant sauter en tenant mon sabre laser, même s'il est allumé. Ce n'est pas si effrayant quand on le fait en utilisant la Force (dans mon cas, en sentant la Force). J'ai appris à ne pas m'entraîner à l'intérieur. L'autre jour, en entrant dans le dortoir après l'entraînement, j'ai fait un

mouvement brusque sans le faire exprès. Mon sabre laser s'est allumé et a découpé un coin du canapé. Maintenant, je dois m'asseoir à cette extrémité en attendant qu'il soit réparé. Le pire est que Yoda était là. Il a vu que j'étais désolé et a tenté de m'encourager, mais je ne sais pas si c'était une bonne chose. Je crois qu'il m'aime bien.

Pas mal, puisque tard, tu as commencé.

Par contre, M. Garfield ne m'aime PAS. En fait, je crois qu'il n'aime PERSONNE. Je suis certain qu'il est un bon Jedi, mais cette semaine, il remplaçait le directeur Mar et le cours était horrible. Il nous a fait passer un test sur l'histoire de l'empire Xim dans l'Amas de Tion, avant la création de la République. On a essayé de lui dire qu'on n'avait jamais vu cette matière en classe, mais il a répondu qu'on devait connaître l'histoire de la galaxie. La plupart des élèves ont eu une mauvaise note, mais comme Egon et Shi-Fara ont

> Mais c'est de l'histoire ancienne!

> LA NOTE QUE JE VAIS TE DONNER VA RENTRER DANS L'HISTOIRE!

eu un A, le reste de la classe n'avait plus d'excuse. Pasha et moi avons dressé une liste

SURDOUÉS!

de choses à faire et à ne pas faire pendant que M. Garfield enseigne :

FAIRE	NE PAS FAIRE
- être TRÈS TRÈS attentif	- attirer l'attention
- avoir l'air occupé	- faire du bruit
- se tenir droit	- sourire (ou pire, rire!)

Hum. Le prochain pour les épreuves de sélection...

... Roan est.

Sprint de 100 mètres

Épreuve cardio

Saut

Test de précision

Triple saut périlleux

Déviation des lasers

biou!

biou!

biou!

Pirouette

Très bien. Merci, Roan.

S'il y a un bonus pour la sueur, je me qualifie!

Beurk!

114

TRIODI

Je pense m'en être bien sorti aux
épreuves de sélection. C'était difficile,
mais pas pire que l'agriculture
sur Tatooine. RW-22 et T-P30

moi
sur
Tatooine

notaient les résultats, mais T-P30 n'arrêtait pas de
parler, ce qui distrayait
les concurrents. Silva a
trébuché en courant,
mais il semblait soulagé
d'être disqualifié. Je
crois que Yoda voulait

Les chances que Silva
complète le sprint de
100 mètres en douze
secondes sont d'environ
quatre cent soixante-dix
mille contre un.

lui accorder une seconde chance, mais M. Garfield
a dit qu'on devrait tous tirer une leçon de l'échec
de Silva.
Comme Pasha, Egon et moi
voulons nous entraîner
après les épreuves de
sélection, on a mis
notre argent en commun pour

UN JEDI DOIT POUVOIR
SE CONCENTRER MALGRÉ
LES DISTRACTIONS.

commander un droïde d'entraînement. Il flotte dans
les airs en projetant de petits
chocs lasers. Je suis devenu
très habile pour faire dévier les
lasers. Ce doit être parce que je
veux éviter à tout prix de recevoir
un choc.

TIREUR-H
COMBAT À DISTANCE
AVERTISSEMENT ::

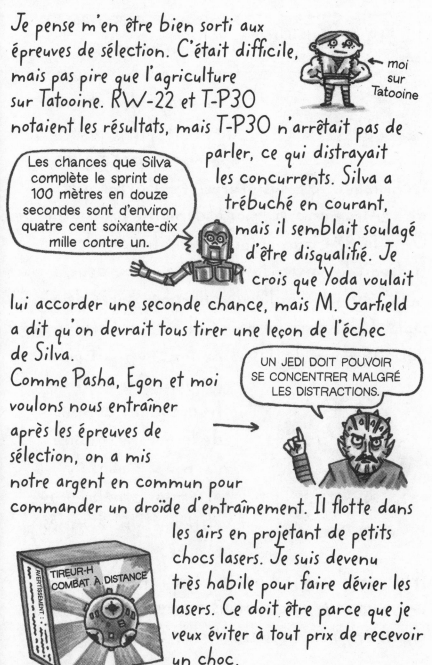

biou!

Gaiana, Tegan et Shi-Fara sont venues s'entraîner avec nous à quelques reprises. Gaiana est très douée. J'ai essayé de l'observer (je pense que je peux apprendre grâce à ses techniques). Je vais peut-être lui demander de s'entraîner avec moi la semaine prochaine. On a laissé Cyrus emprunter notre droïde. Il devait le garder juste une heure ou deux, mais Pasha a dû aller le chercher après deux jours. Quand on l'a repris, il était un peu cabossé et un des lasers ne fonctionnait plus.

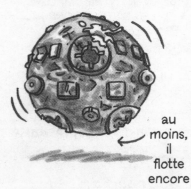

au moins, il flotte encore

En plus, il y avait un truc collant comme de la gomme dessus. Egon a dit qu'il s'y attendait, mais Pasha et moi étions étonnés. D'après Egon, on est trop gentils. Je ne pense pas qu'être gentil soit une mauvaise chose, mais on ne laissera plus Cyrus emprunter notre droïde.

117

PILOTE EWOK

Par Roan Novachez

Pilote Ewok, tu dois utiliser tes canons laser au combat.

En plus, c'était MON vaisseau!

Yub yub!

Désolé, Pilote Ewok, tu es viré!

Yub?

À suivre...

HOLOSCOPE!

Par Jo-Ahn

RANCOR	WAMPA	BOGA
La Force est forte en toi.	Tu ne peux apporter en classe que ce que tu prends avec toi.	Je prévois une grande perturbation durant l'après-midi.
BANTHA	**NEXU**	**DEWBACK**
Bonne journée pour embrasser un Wookiee.	Tu es perdu! Autant rester au lit.	Attention aux droïdes qui font bip bip!
NERF	**TAUNTAUN**	**MYNOCK**
Parfois, c'est plus facile en équipe.	Un geste décisif te rendra heureux.	S'inquiéter ne sert à rien!
SARLACC	**ACKLAY**	**OPEE**
Sers-toi de tes émotions!	Fais preuve de souplesse.	Journée idéale pour se reposer.

Holocourrier

CHOIX
◁ RÉPONDRE
▷ TRANSFÉRER
▣ IMPRIMER
⬤ AFFICHER SUR HOLOBOOK

DE : maître_yoda_642
À : Groupe Padawan
OBJET : Épreuves de sélection

Chers élèves,

Les concurrents qui se sont qualifiés pour le 149e TOURNOI DE SABRE LASER sont :

1. Pasha✱
2. Cyrus✱
3. Jo-Ahn
4. Egon
5. Tegan
6. Cronah
7. Gaiana
8. Shi-Fara
9. Greer
10. Roan

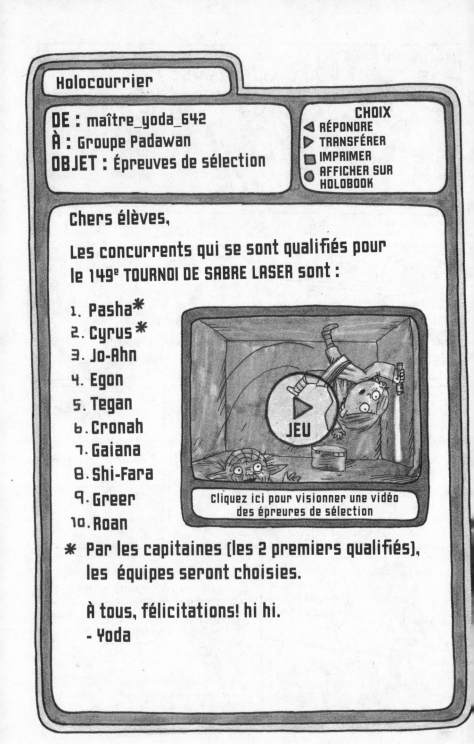

Cliquez ici pour visionner une vidéo des épreuves de sélection

✱ Par les capitaines (les 2 premiers qualifiés), les équipes seront choisies.

À tous, félicitations! hi hi.
- Yoda

HEPTADI

J'ai réussi! Je me suis qualifié pour le tournoi de sabre laser! Et mon équipe est la meilleure, je crois. Pasha est le capitaine de l'équipe A, et Cyrus le capitaine de l'équipe B. Aujourd'hui, ils ont choisi leurs équipes. Pasha m'a pris en premier. Comme je ne suis pas le meilleur, certains étaient surpris. Mais Pasha m'a vu m'entraîner. Je croyais que Cronah serait choisi en premier dans l'autre équipe. Cronah devait penser la même chose, car il avait l'air triste quand Cyrus a désigné Jo-Ahn. Mes autres

coéquipiers sont Gaiana, Tegan et Egon. Cyrus a aussi choisi Cronah, Shi-Fara et Greer. Je suis content de ne pas être dans l'équipe de Cyrus, même s'il a un capuchon cool et tout le reste. Cronah m'a regardé de travers. Je ne peux pas m'imaginer dans la même équipe que lui. Dire que j'ai failli lui demander d'être

On travaille sur notre projet?

Non! Je suis trop occupé à avoir l'air grincheux.

mon partenaire de labo la première semaine d'école! Ç'aurait été un désastre! Toute cette histoire de tournoi de sabre laser nous prend beaucoup de temps.

Je n'ai pas tout à fait terminé mes prochains épisodes de Pilote Ewok. Mais comme la moitié de l'équipe du journal participe au tournoi, je parie que le prochain numéro sera en retard de toutes façons.

Parfois, je me sens un peu dépassé parce qu'il y a trop de choses à faire, mais je préfère être occupé. Ça m'empêche de penser à l'académie de pilotage. Ou peut-être que je pense moins à devenir pilote... je m'imagine mal quitter mes nouveaux amis.

Ce soir, Pasha a invité toute l'équipe à souper pour célébrer. Gaiana m'a demandé de passer la chercher à son dortoir pour ne pas être en retard. C'est bizarre, car elle n'est jamais en retard.

Principes de la Force

Créatures
capables de résister à la Force

1. Hutts
- le contrôle mental Jedi n'agit pas sur eux (trop gros?)
- ne courent pas vite
- peuvent être soulevés par la Force car la taille n'importe pas

2. Toydariens
- le contrôle mental Jedi n'agit pas sur eux, mais d'autres manipulations mentales fonctionnent

3. Ysalamirs
- créent une bulle résistante à la Force
- vivent surtout dans les arbres

Es-tu nerveux?

Au sujet du cours?

Non, du tournoi.

Oh, ça? Je me sens prêt.

Cronah dit qu'il va t'écraser.

Je sais.

...dis-lui que j'ai hâte de le voir pleurer quand il perdra!

Merci, Silva, je crois que ça ira.

Moi, je suis nerveux!

Plus tard

Es-tu nerveux, Roan?

Pourquoi tout le monde me demande ça?

C'est ton premier tournoi.

Ça peut devenir intense.

Mais c'est juste du sport!

Oui, mais c'est là que naissent les HÉROS! Gagner le tournoi est un grand honneur. Les plus grands Jedi le remportent. Si tu perds, tu risques de te retrouver à la ferme.

Je devrais peut-être m'inquiéter...

130

PENTADI

Le tournoi de sabre laser sera une victoire
pour moi si j'arrive à ne pas vomir juste avant.
Personne d'autre ne semble nerveux. Je
dois me rappeler que c'est juste une activité
~~parrascolaire~~ parascolaire, qui n'a rien à voir
avec le fait d'être pilote. Je vais faire de mon
mieux. J'espère que je ne devrai pas affronter
Cyrus, car il m'humilierait. Je parie que ce
sera Cronah. Ce serait vraiment ennuyeux
s'il me battait.

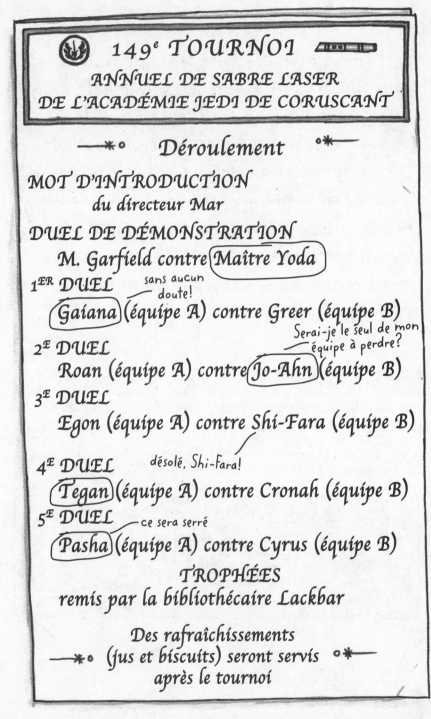

149ᵉ TOURNOI
ANNUEL DE SABRE LASER DE L'ACADÉMIE JEDI DE CORUSCANT

— *○ **Déroulement** ○* —

MOT D'INTRODUCTION
du directeur Mar

DUEL DE DÉMONSTRATION
M. Garfield contre Maître Yoda

1ᴱᴿ DUEL
sans aucun doute!
Gaiana (équipe A) contre Greer (équipe B)

2ᴱ DUEL
Serai-je le seul de mon équipe à perdre?
Roan (équipe A) contre Jo-Ahn (équipe B)

3ᴱ DUEL
Egon (équipe A) contre Shi-Fara (équipe B)

4ᴱ DUEL
désolé, Shi-Fara!
Tegan (équipe A) contre Cronah (équipe B)

5ᴱ DUEL
ce sera serré
Pasha (équipe A) contre Cyrus (équipe B)

TROPHÉES
remis par la bibliothécaire Lackbar

Des rafraîchissements
— *○ (jus et biscuits) seront servis ○* —
après le tournoi

La Gazette du Padawan

PUBLIÉE PAR LES ÉLÈVES DE L'ACADÉMIE JEDI   VOL MXII N° 14

FINALE CONTROVERSÉE DU TOURNOI DE SABRE LASER!

LE PADAWAN ROAN NOVACHEZ AIDE SON CAPITAINE À TRICHER

Le tournoi annuel de sabre laser de l'académie Jedi s'est terminé dans la controverse. Pasha, le capitaine de l'équipe A, a été disqualifié lorsque le sabre laser de son adversaire, Cyrus (capitaine de l'équipe B), a été désactivé par un spectateur (Roan Novachez). Même si Pasha avait deux points d'avance et prétendait ne pas être au courant, les juges n'ont eu d'autre choix que d'accorder la victoire à Cyrus. L'équipe B, dont l'entraîneur est M. Garfield, a donc remporté le tournoi avec trois duels contre deux. Maître Yoda a félicité tous les participants, qui ont démontré d'excellentes habiletés Jedi. La bibliothécaire Lackbar a été interrompue lors de la remise des trophées par Ronald, le président du conseil étudiant, qui voulait remettre un « trophée du président » à Cyrus et nous a imposé un discours de dix minutes.

RÉSULTATS DU TOURNOI :

DÉMONSTRATION : Maître Yoda bat M. Garfield
1. Gaiana bat Greer (3-0)
2. Jo-Ahn bat Roan (3-1)
3. Egon bat Shi-Fara (3-2)
4. Cronah bat Tegan (3-2)
5. Cyrus bat Pasha (disq.)

L'équipe B gagne 3-2

HEPTADI

C'est vrai. J'ai triché. Mais ce n'est <u>PAS DU TOUT</u> ce que tout le monde pense. D'abord, Pasha n'en avait aucune idée et est complètement innocent. Il ne méritait pas d'être disqualifié. Je pense qu'il aurait probablement gagné le duel, même s'il avait perdu un tour. Et j'ai admis tout de suite que c'était moi. Comment ont-ils pu croire que je l'avais fait exprès? Tout le monde connaît mes difficultés avec la Force. Au moins, ce n'est pas arrivé en classe, car je me serais sûrement fait renvoyer. Yoda doit être déçu, même s'il se montre très positif. Je suis certain que Pasha et l'équipe veulent ma peau. Alors, j'ai décidé d'éviter tout le monde. Je vais rester caché jusqu'à ce que l'école soit finie.

Au-delà des chiffres, le succès est.

Plus que les résultats, la victoire est.

← entraîneur de l'équipe perdante

TRIODI

Je croyais que l'académie Jedi serait une perte de temps, mais c'était super, finalement... jusqu'à la semaine dernière. Je ne sais pas qui voudrait continuer d'être mon ami ici, puisqu'ils pensent tous que je suis un tricheur (même si ce n'est pas vrai). Maintenant, je dois passer l'examen final. Je vais sûrement échouer puisque je ne peux pas utiliser la Force comme il faut. Je m'étais dit que même si je n'étais pas admis à l'académie de pilotage, au moins je ne serais pas obligé d'aller à l'école de plantes. Mais c'est là que je vais me retrouver après cet examen. J'ai essayé de soulever des choses avec la Force toute l'année, mais je ferais aussi bien d'arrêter d'essayer. J'espère que les autres ne riront pas trop de moi quand je vais rater le test. C'est horrible. Je n'ai même pas envie de dessiner.

146

| ÉLÈVE : ROAN NOVACHEZ |
| NIVEAU : PADAWAN | SEMESTRE : DEUX |
| PROF. TITULAIRE : MAÎTRE YODA |
| **BULLETIN** |

ACADÉMIE JEDI
CAMPUS DE CORUSCANT

COURS	REMARQUES	NOTE
UTILISATION DE LA FORCE 101 [MAÎTRE YODA]	Impressionnant. Très impressionnant.	A+
PRINCIPES DE LA FORCE [MAÎTRE YODA]	Bien, mais Roan pose trop de questions pendant la méditation.	B+
MATHÉMATIQUES DE LA PHYSIQUE [MME PILTON]	Malgré sa tendance à dessiner pendant les cours, Roan sait résoudre les équations.	a-
BIOLOGIE DES ESPÈCES NON HUMAINES [DIRECTEUR MAR]	ROAN A UNE BONNE COMPRÉHENSION DE L'ANATOMIE D'AUTRES ESPÈCES.	A -
POÉSIE MANDALORIENNE [BIBLIOTHÉCAIRE LACKBAR]	Bonnes interprétations. Démontre une aisance dans l'écriture poétique.	A
ÉDUCATION PHYSIQUE [KITMUM]	*~~~~~~~~*	☺
DUEL AU SABRE LASER [M. GARFIELD]	PAS MAL POUR UN DÉBUTANT.	B -

Prix de fin d'année de LA GAZETTE DU PADAWAN!

FUTURE VEDETTE DE L'HOLOTÉLÉ	FUTUR CHAUVE	FUTUR SÉNATEUR GALACTIQUE
MEILLEUR JOUEUR	MEILLEUR ATHLÈTE	PLUS INTELLIGENT
MEILLEUR BIPEUR	PLUS CRÉATIF	PLUS ÉLÉGANT
PLUS NERVEUX	DESTINÉE À RÉUSSIR	MEILLEUR DANSEUR
PLUS BEAU RODIEN	MEILLEURE COORDINATION	PLUS ZEN
MEILLEUR SENS DE L'HUMOUR	FUTUR JEDI	MEILLEURE COIFFURE

LA GAZETTE DU PADAWAN

VOL MXII Nº 16

149

DUODI

Ça y est, j'ai fini une année à l'académie Jedi...
J'ai finalement compris comment faire, même
si ça m'a pris du temps. Les autres semblent me
considérer comme faisant partie de l'école, et
je me sens accepté... mais maintenant, je dois
rentrer à la maison. J'espérais presque que Yoda me
demande de rester pour les cours d'été à cause de
mon D+ du premier Semestre. Mais il a jugé que
je m'étais racheté avec mon dernier examen. De
plus, j'aurais été le seul élève, ce qui n'aurait pas été
amusant. Hier soir, c'était le souper de fin d'année
de l'académie Jedi. On a tous signé nos albums.
Cronah a même signé le mien,
même s'il a juste mis une blague
plate. Plusieurs personnes m'ont
demandé de dessiner Pilote Ewok
dans le leur. En signant l'album
de Gaiana, je voulais me dessiner

en train de danser avec elle, mais
je n'ai pas osé. J'avais peur que
d'autres élèves le voient. Elle va
me manquer cet été. Pasha aussi.
Tatooine va me paraître ENCORE
PLUS ennuyant sans eux.

Ye ha!

Yoda avait l'air ému.
Il va me manquer, lui
aussi. Surtout que je
comprends enfin ce qu'il

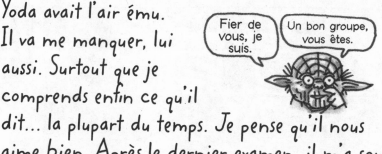

dit... la plupart du temps. Je pense qu'il nous
aime bien. Après le dernier examen, il m'a souvent
pris à part pour me dire des trucs énigmatiques. Ce
n'est pas comme M. Garfield. Il a passé le souper

debout près du mur, dans
l'ombre. Il a grogné en
apprenant que je reviendrais
l'an prochain, alors je crois
qu'il m'en veut toujours.
Une autre chose qui va
me manquer est RW-22 et ses bips. Au début,
j'avais l'impression que la pile d'un détecteur de
fumée devait être changée ou qu'un camion spatial
reculait. Maintenant, quand je n'entends pas de

bip, je trouve ça trop silencieux. Je
vais dessiner des BD cet été. Je
pourrais faire un album que j'enverrai
à tout le monde. Bon, assez écrit. Je
pars demain et je dois encore faire
mes bagages!

RÉDIGE TON PROPRE JOURNAL!

D'abord, trouve un cahier ou un journal.
Du papier ligné ou non fera l'affaire.

*amuse-toi!

Dessine des BD! Même si tu penses que tu ne sais pas dessiner, vas-y! C'est amusant et c'est TON journal!

Décris ce qui t'est arrivé aujourd'hui

Mets des photos de tes amis et toi

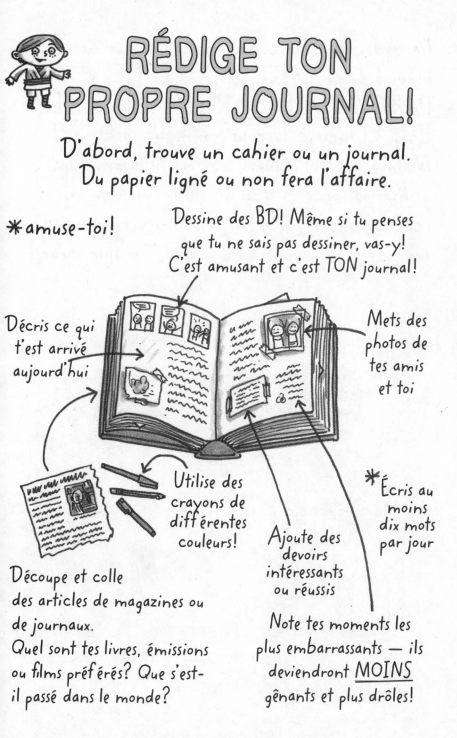

Utilise des crayons de différentes couleurs!

*Écris au moins dix mots par jour

Ajoute des devoirs intéressants ou réussis

Découpe et colle des articles de magazines ou de journaux.
Quel sont tes livres, émissions ou films préférés? Que s'est-il passé dans le monde?

Note tes moments les plus embarrassants — ils deviendront <u>MOINS</u> gênants et plus drôles!

Le bédéiste Jeffrey Brown est l'auteur des livres à succès DARK VADOR ET FILS et DARK VADOR ET LA PETITE PRINCESSE. Il vit à Chicago avec sa femme et ses deux fils. Malgré tous ses efforts, Jeffrey n'a jamais pu utiliser la Force et a donc dû fréquenter une école ordinaire. Il n'est jamais devenu un Jedi, mais cela ne l'empêche pas d'aimer Star Wars!